A B C D E F G
N O (P) Q R S T U

Meet big **P** and little **p**.

Trace each letter with your finger and say its name.

1

P is for

pig

P is also for

pink

pug

pie

puddle

Pp Story

Take a **p**eek at this very **p**ink **p**ig.

The **p**ig eats a big **p**each **p**ie.

The **p**ig **p**aints a **p**icture of a **p**ug.

6

The **p**ig digs
in a big **p**it...

and jumps in a
mud **p**uddle.

The **p**ig is NOT very **p**ink now!